여느 때와 다름없는

여느 때와 다름없는

발　행 | 2024년 05월 30일
저　자 | 하지
펴낸이 | 한건희
펴낸곳 | 주식회사 부크크
출판사등록 | 2014.07.15.(제2014-16호)
주　소 | 서울특별시 금천구 가산디지털1로 119 SK트윈타워 A동 305호
전　화 | 1670-8316
이메일 | info@bookk.co.kr

ISBN | 979-11-410-8534-6

www.bookk.co.kr

여느 때와 다름없는

하지 지음

CONTENT

프롤로그

1. 첫 번째 너
2. 원치 않는 사랑 법
3. 내 어릴 적 책 읽기
4. 사랑일까요?
5. 너 닮았니?
6. 나의 딸
7. 주는 행복을 깨닫다
8. 다시
9. 까막눈
10. 칭찬은 누구나 얼쑤
11. 아장아장 두 번째 첫발 떼기
12. 출발선
13. 알아준다는 것

에필로그

프롤로그

어릴 적 나는 책을 많이 읽던 아이였다.
내 인생에서 읽은 책의 8할은 어릴 적의 나였다.
그건 장난감보다 책을 더 많이 사주셨던 부모님 덕분이다.

친구들과 어울려 노는 것도 좋아했지만,
책 읽기는 나만의 공간이 생기는 새로운 세계를 열어주었다.

그러던 어느 날부터 손에서 책 놓게 된다.
결혼하고 아기가 태어났다.
아이들의 돌봄으로 녹초가 되어 버린 비루한 나의 몸뚱아리!
정신이 가출해 버린 육아는 더더욱 책을 멀리하게 했다.
다시 나의 책을 읽기까지 8년여의 연습 시간이 필요했다.
그리고, 지금 "후추 파 정신"으로 겁도 없이 글쓰기에 도전해 본다.
나에게 시간을 만들어 준 내 편과 성숙을 배우게 해준 나의 아이들에게 감사드린다.

나는 제법 행복한 사람이다.

제목: 첫 번째 너

"오늘 하루 다정한 엄마 목소리에 담긴 사랑 꿀꺽
우리 아빠 두 팔을 벌려 안을 때에 담긴 사랑 꿀꺽
아무리 먹어도 자꾸만 먹어도 배부르지 않지만
먹을 때마다 쑥쑥 커가는 내 모습이 사랑스러워
사랑 주세요. 더 많이 주세요.
난 그 사랑이 좋아 먹는 아이
바로 그 사랑을 먹고 자란답니다."

<사랑을 먹는 아이_ 동요>

50개월이 채 되지 않았던 네가 유치원을 마치고 돌아왔다.

여느 날과 다를 바 없이 간식을 준비하는 나에게 앉아보라며 해야 할 것 있다고 내 손을 잡아다 끌었다.

그리고 시작된 노래.

난 토끼 눈을 뜨고 너에게 시선을 고정한 채 집중했다.

두 눈에 별빛 가득한 윤슬을 담아 부르던 너.

와!

너무 기쁘고 놀라우면 정말로 말문이 막히는구나!!!

고맙다고 멋지다고 먼저 말을 해야 하는데..

"뭐야 뭐야" 라고 말해 버렸다.

오늘 유치원에서 배운 노래인데 엄마에게 불러 주고 싶어서 잊어버릴까 봐 계속 입으로 부르고 집으로 왔다고 했다.

둘째가 태어나면서 오롯이 받던 사랑이 나뉘어졌다.

어린 동생에게 눈길을 더 보내지기 마련인지라 아주 쓸쓸했던 것인가 생각하며 아이를 꼭 안아줬다.

"고마워! 엄마가 너에게 더 사랑을 줄게"라고 말하자

아이는 웃음 함박 짓고는

"더 더 더 주면 좋아. 하지만 엄마를 제일 사랑하니까 엄마가 주는 건 다 좋아. 사랑해"

내 가슴속에서 꽃망울 같은 폭죽이 퐁퐁 터졌다.
이건 뭐지, 어떤 단어로 표현하지?
아무리 생각해도 떠오르지 않는
아이를 키우면서 처음 느낀 감정이었다.

나만 아이에게 사랑을 내어줬다고 생각하며 키웠는데 아이 또한 가진 힘껏 날 사랑한다고 말하는 것이었다.

제목: 원치 않는 사랑 법

백화점에 갔다. 예쁜 옷도 구경하고 필요한 화장품도 있어서 겸사겸사.

교복을 입은 여자아이가 엄마와 다정히 팔짱을 끼고 이것저것 구경하고 있는 모습이 눈에 들어왔다.

서로 마주 보며 이야기 나누는 모습이 퍽 살가워 보여 한참을 쳐다보게 되었다.

그렇게 우두커니 쳐다보고 있노라니 엄마 생각이 났다.

내가 기억하는 엄마의 모습은 늘 앞치마를 두르고 가족들의 밥을 짓는 모습이다.

그래도 어릴 적엔 같이 책도 읽고 했었던 것 같은데 어느새 그 기억은 흐려져 있었다.

엄마가 일을 시작하시면서 엄마와 사소한 뭔가를 해본 적이 있었나?

이건 더더욱 기억이 없다.

그 바쁜 와중에도 늘 손수 밥을 해 먹이는 엄마가 당연한 줄 알고 컸다.

하루는 친구네 집으로 초대받았다.

한참을 놀다 보니 출출한 오후 시간이 되었다. 친구 어머니께서 이르지만 저녁을 먹자고 하신다.

짧은 시간에 소박하지만 깔끔하게 밥상을 차려주셨다.

정말 놀랐다. 식사 준비 시간이 이렇게 간단 할 수도 있구나 하고.

밥을 먹는데 집에서 먹을 때와 다른 느낌이 났다.

밥은 오래된 된 듯 집에서 먹던 거랑 색깔이 달랐다.

김치를 제외한 다른 반찬은 만들어 둔 지 시간이 제법 되었는지 전혀 신선하지 않았다.

또, 국은 너무 오래 끓여서인지 채소들이 물러져 숟가락 닿기가 무섭게 뭉개졌다.

내가 멈칫한 걸 보신 친구 어머니께서
"마음에 드는 음식이 없니" 하며 물어보셨다.
"전부 어제 만든 건데 네 입에 간이 맞을지 모르겠네" 하시며 어서 먹으라 말씀하셨다.
그렇게 편치 않았던 식사가 끝이 났다.
잘 먹었다고 예의상 인사를 드렸다.
집으로 돌아온 난 한참을 부대끼는 속을 진정시켰다.

바쁜 일상에서 엄마가 내게 준 사랑은 밥이었다.
갓 지은 따끈한 밥과 금방 끓인 국, 바로 무친 나물과 갖가지 반찬들.
이제는 안다.
아이 키우는 지금, 매끼 마다 새로운 반찬을 만들고 국을 끓이고 매번 밥을 앉혀 식사를 준비한다는 것이 무척 고된 일이라는 것을.
하지만 내가 원하는 엄마의 사랑은 밥이 아니었다.
내가 원한 건 **나와 엄마가 함께 하는 시간**이었다.

원치 않는 애정의 표현 방법으로 인한 결핍은 참으로 서로를 언짢게 한다.

아니, 나만 아프다.

사랑의 표현 방법도 서로가 원하는 방식으로 이루어지지 않는다면 내가 사랑받음을 알 길이 없다.

늘 죽이 잘 맞는 언니와 엄마 사이를 보면서 나도 저렇게 되면 좋겠다 싶다.

하지만, 결국 내가 원하는 방향이 아니어서 이내 한숨을 내쉰다.

난 또 입을 꾹 다물고 그냥 그렇게 엄마에게 아무 말도 못 하고 시간만 흘려보낸다.

아이를 낳고 아니 시간이 흘러 나이를 먹고 보니

내 감정을 있는 그대로 이야기하는 것도 용기가 필요한 일이었다는 것을 너무 늦게 알아버렸다.

제목: 내 어릴 적 책 읽기

어릴 적 내가 자주 가지고 놀던 것은 책이었다.

여자아이들이라면 당연했던 곰 인형은 물론 바비인형도 없었다, 관심도 없었다.

바쁜 부모님께서 장난감도 잘 사주셨지만, 책을 사는 것에 있어서는 정말 손이 크셨다.

백과사전, 위인전 전집, 문학작품 전집, 그림책, 고전 전집, 전설의 고향 전집뿐만 아니라 정기 간행물 잡지 등등 집에는 늘 책이 널려있었다.

그리고, 내가 어릴 때 만해도 만화책은 나쁜 책 이란 선입견이 강했었는데도 부모님께서는 그림도 잘 그리고 글도 잘 쓰는 재능 넘치는 사람들의 책이라 하셨을 만큼 난 만화책도 많이 읽었다.

사르륵.

책장 넘기는 소리가 좋다.

식탁 위에서 책장을 넘기는 엄마의 손과 그 옆모습.

그 곁에 같이 책을 읽던 나의 모습은 액자에 고정된 찰나처럼 내 가슴속에 박제되어 있다.

기억이라고 하는 건 감정의 지배를 받아 사실을 기반으로 한 정확함은 떨어진다고는 하지만 그때를 나는 또렷이 기억한다.

어릴 적 우리 집 맞은편에 죽이 잘 맞는 친구가 살았다.

그 친구도 책을 좋아했다. 만화책도 좋아했다.

서로 책을 돌려서 보기도 하고 책을 사러 같이 서점에 가기도 했다.

친구 어머니가 나를 많이 이뻐해 주셨는데, 그 이유가 시끄럽게 떠들지 않고 조용히 책을 보거나 음악을 듣고 놀아서인 걸 나중에 알게 되었다.

이렇게 책이 재미나던 나였는데 언제부터인지 책을 멀리 하기 시작했다.

아마 책보다 훨씬 재미있는 다른 뭔가가 많았나 보다.

대학 시절 도서관에 가서 책을 본다는 건 책을 보러 가는 순수한 목적이 아니었다. 얄팍한 지갑 사정으로 오갈 곳이 마땅치 않으면 자주 가던 곳이었으니까

취업해서 일을 시작하고는 책을 찾는 일은 점점 더 없어졌다. 새로운 곳에 적응하는 데 힘에 부쳤었는지 책을 읽을 여력이 없었다. 일을 마치고는 회식이 나를 기다리고 있었다. 잦은 술자리는 다른 것을 해볼 엄두조차 할 수 없게 체력을 바닥으로 만들었다.

지금 내 편을 만나 결혼과 임신을 하면서 자연스레 태교를 시작하게 되었다.

그때 처음 받았던 선물이 태교를 위한 화가들의 이야기를 쓴 책이었다.

유명 화가의 그림을 보여주고 그 화가의 생과 그림을 설명한 책이었는데 미술이 전공인 작가가 직접 그림을 보기 위해 세계의 유명한 미술관을 여행하며 쓴 책이었다.

감사한 마음과 아이를 위해 시작한 책 읽기는 괴롭다는

감정을 처음 느끼게 해주었다.

꾸역꾸역 읽어 나가는데 이게 과연 태교에 도움이 될까 싶을 정도로 힘들었다.

그렇게 또 책과 멀어지며 아이가 태어났다.

공교롭게도 아이가 태어나서 처음 받은 선물도 책이었다.

글밥이 적고 알록달록한 색감의 그림이 귀여운 너무나도 유명한 그림책 전집.

파란색 귀여운 토끼 인형과 거실 한쪽 벽면을 장식한 아이를 위한 전면책장.

집안은 아이에게 읽어 줄 책들로 채워져 나갔다.

하지만, 모유 수유 중이던 난 여유 없는 팍팍한 삶에 지칠 대로 지쳐있었다. 당연히 그림책 따위는 눈에 들어오지도 않았다.

아이의 백일잔치가 지나고 어느 정도 이 생활이 조금씩 익숙해질 때쯤 아이의 교육을 위해 기계적으로 책을 꺼내 읽어 주기 시작했다.

제목: 사랑일까요?

어느 유명한 여가수가 인터뷰하는 방송이 나왔다.

"벌써 나이도 40대 중반이고 결혼을 한 지 꽤 되었죠.
아이 갖는 걸 포기한 적 없어요. 가지고 싶어요.
다만, 자연적으로 갖고 싶은 거죠.
다들 인제 와서 굳이 아이를 가지려 하냐고 묻더라고요.
궁금했어요.
바라는 마음 없이 나의 모든 애정을 오롯이 줄 수 있는 존재가 그리고 그 존재에게 모든 세상일 수 있는 내가
<엄마>라는 이름으로 한번 살아보고 싶어요."

아이가 없었다면 전혀 내 귀에 들리지 않았을 말이다.

모성애(母性愛)!

자식에 대한 어머니의 본능적 사랑.

사람마다 다르다지만 기실, 어미라면 당연히 자식에게 느끼는 맹목적인 사랑. 저 맹목적이라는 단어가 거슬렸다.

아이를 낳아본 분은 아시겠지만, 아이를 낳는다고 바로 사랑이 온천수처럼 퐁퐁 뿜어 나오지 않는다.

개인적으론 난 그저 신기했다.

아이를 낳고 산후조리원 생활을 하면서 경쟁하듯 모성애를 뿜어대는 산모들 속에서 나는 엄청난 혼란이 찾아왔다.

뭐든 서툰 엄마인지라 아이 젖먹이는 일부터 기저귀 가리는 것까지 전부 교육받았고, 아이를 만지는 것 자체가 너무나 조심스러웠다. 그리고 무서웠다.

조리원에서는 수유 시간이 되면 간호사에게 전화 호출이 와 수유실로 불려 가는 시스템이었다.

일정한 수유 간격에 맞춰 아이에게 젖을 물렸다. 이것 또한 아이에게 젖을 먹이는 엄마 되기 연습이다.

그곳에서 낳은 지 채 삼 일밖에 지나지 않은 아기에게 너무 이쁘다 내 새끼 진짜 사랑한다. 내 전부다 등등 산모들의 애정 넘치는 말들이 오고 갔다.

어떤 산모는 아기와 떨어지는 게 아쉬워 수유 시간을 꽉 채워 아이를 안고 눈시울을 붉히며 되돌아가기도 했다.

그때의 나는 내가 잘못되었나? 라는 생각을 했다.

난 왜 나의 아이가 사무치도록 사랑스럽지 않은 걸까?

난 왜 젖을 물리는 순간 아이가 잘 먹는 뿌듯함 대신 너무나 아리고 쓰린 느낌에 쩔쩔맬까.

난 모성애가 없는 걸까?

여러 가지 의문이 들면서 불안감이 엄습했다.

산후조리원을 나오면서 시작된 전쟁 같은 육아는 내 마음 한 켠에 심어둔 불안이 서서히 책임감이라는 절대적 의무로 발현되기 시작했다.

나와 친한 사람들은 대부분 '모유 완모자'다.

그래서 당연히 모유 수유를 해야 했다.

임신 중 병원에서 모유에 관한 수업을 들은 적이 있다.

그때 강의를 해주신 유방 전문 마사지사께서 나는 치밀 유방이라는 진단을 내리셨다.

치밀 유방은 유선이 선천적으로 좁아서 젖이 돌아도 아기가 빠는 힘으로는 수유가 어렵다고 하셨다.

게다가 치밀 유방은 단백질 알갱이가 모유에 섞여서 나오는데 유선이 좁아 빠져서 나가지 못한다고 한다.

유선이 막히면 젖몸살이 오기 때문에 심할 경우 항생제를 먹어야 하고 그로 인한 단유를 해야 해서 완전한 모유 수유는 못 한다고 설명하셨다. 그 말씀은 초유만 먹이고 분유로 갈아타야 한다는 것이었다.

그 말이 정답이었는지 나는 수유 중에 유선은 매일 같이 막혀 피고름과 젖몸살이 동반되었다.

누군가 아이 낳는 게 아프냐? 젖몸살이 아프냐? 고 묻는다면 아이를 하나 더 낳는 쪽이 훨씬 덜 고통스럽다고 즉각 대답할 수 있다.

막힌 유선을 뚫기 위해 일주일에 한 번 이상은 유방 전문 마사지를 받아야 했다.

그땐 무슨 정신이었을까?

아기에게 분유를 먹인다는 건 죄를 짓는 것 같았다.

나는 정말 모유 수유에 목숨을 걸었다.

오죽하면 마사지사가 그만 오라고까지 했다.

나 때문에 치밀 유방을 가진 산모들에게 불가능한 건 아니라는 말까지 한다며 얼른 분유로 갈아타라고 하셨다.

그리고 딱 한 번이었지만 마사지 비용도 할인 해주셨다.

아기를 낳고 모유 수유를 시작한 1년 동안

난 내 입의 모든 즐거움을 포기했다.

커피와 카페인이 함유된 차 종류, 고춧가루, 후추, 튀긴 자극적인 음식, 물론 조미료가 들어간 음식, 간이 되어 있지 않은 음식, 특히 라면, 즉석식품과 배달 음식은 전혀 먹지 않았다.

모유 수유를 위해 양질의 음식을 먹기 위해 애썼다

나를 위한 건 없었다. 단 하나도!!

그래도 나의 노력이 빛을 발했는지 질 좋은 모유가 풍부하게 잘 나와 주었다.

몸이 약한 조리원 동기 언니는 나에게 당신의 아들에게 젖동냥을 부탁할 정도로 질 좋은 모유 만들기에 대한 나의 집착은 계속되었다.

하지만 젖을 유축기로 짜내는 내 모습은 정말 사람이지만 사람인가 싶을 정도로 초췌해져 갔다.

아이의 이유식도 여지없었다.

요리를 못하는 내가 재료까지 따져가며 직접 다 만들어 먹였다.

이유식에 관한 공부도 열심히 하고, 질 좋은 한우를 사려고 발품도 아끼지 않았다.

아이의 버섯이 맛있다는 말에 자연산을 사기 위해 산으로 찾아가 버섯을 캐시는 분께 구매하기도 했다.

아이러니하게도 나의 엄마가 해준, 보고 배운 그대로 내 자식에도 그렇게 나의 시간을 쓰고 내어주고 있었다.

절대 포기하지 않고 2년간의 완모를 해냈다.

이 글만 본다면 아이의 사랑이 대단하다 싶겠지만,

그런 애틋함보다는 아이를 건강하게 키우는 것이 부모의 도리와 책임이라는 강박 쪽에 더 가까웠다.

아이를 위한 모유 수유가 수단이 아니라 목적이 되어버린 것이다.

둘째가 생겼고 둘째 또한 완모로 키워냈다.

제목: 너 닮았니?

엄마가 딸에게 할 수 있는 최고의 악담은 뭘까?

외할머니께서 알려주신 말씀인데

"꼭 너 같은 딸 낳아서 키워 봐"라는 말이라고 한다.

엄마도 당신의 속을 썩인 나에게 언제나 해주신 말씀이기도 했다.

손이 귀한 남편 쪽 어른들은 첫째가 남자아이임에도 둘째 소식을 들으시곤 꼭 아들이기를 바라셨다.

하지만, 우리 엄마의 저주가 더 효력 뛰어났던 모양인지 태어난 이는 딸이었다.

둘째 생각이 전혀 없었던 나로서는 갑자기 생긴 아이가 마냥 기쁘지만은 않았다.

내가 결혼할 때만 해도 산전 검사가 유행이었다.

그때 아이가 갖기가 어렵다는 말을 들었다. 그래서 첫째가 생긴 것도 하늘이 점지해주셨다는 생각이었기에 더더욱 둘째 생각은 없었다.

하물며, 첫째 육아에 진저리를 치고 있던 나였다.

이런 내 심보 때문인지 둘째 임신 중에 첫째 때는 없었던 입덧을 낳기 직전까지 했었다.

심지어 누가 봐도 입덧이 심해 보이는 토덧 빼고는 다한 입덧이라 남편조차 내 입덧이 심하다는 자각이 없었다.

그리고, 몸이 완전히 정상으로 돌아가기도 전에 지쳐있는 비루한 몸뚱이로 아이를 가져서인지 자가면역 교란이 왔고 괴로운 임신 생활을 보내야만 했다.

이유를 알 수 없는 피부수포와 신경통 그리고 심각한 두통 보너스로 소양증과 눈 시림.

나의 체온은 정상을 벗어나 38도 가까운 미열인 상태가 계속 이어졌다.

하지만 손과 발, 배는 얼음장처럼 차가워 첫째를 안아주기가 미안할 정도였다,

이런 너덜너덜한 몸 상태로 인해 나의 모든 감각은 예민함으로 중무장하고 신경은 항상 뾰족하게 솟아져 있었다.

첫째 때와 달리 태교는커녕 메일이 버티기였다.

하지만, 이런 내 몸 상태는 아랑곳없이 둘째 아이는 보란 듯이 무럭무럭 자라고 있었다.

임신 중기가 지나자 급격히 몸무게가 늘어나면서 배는 점점 커졌고 일상생활이 버거워졌다.

첫아이 때는 임신 8개월이 되어서도 헐렁한 옷을 입으면 주위에서 임산부인 줄 몰랐다고 할 정도로 가뿐했었는데

둘째는 가만히 있어도 숨을 쉴 수 없을 정도로 배의 크기가 점점 불어났다.

하지만 쉬운 임신 기간이 있을까!!

첫째 임신 생활도 쉽지만은 않았다.

난데없는 하혈로 응급실에 실려 갔었고, 유산이 될 위험이 커서 한 달 넘게 누워 지내기도 했으니까.

어느 날 임신 중기가 지나 병원에서 하는 태아 정기 검사의 결과를 듣기 위해 병원에 갔다.

결과는 '신경관 결손 위양성' (위양성은 양성도 아닌 음성도 아닌 알 수 없음을 말한다)

아이를 수백 명 받았다는 의사 선생님도 처음 받아본 결과라고 하셨다.

낳기 전까지는 아이 상태에 대해 정확히 알 수 없으니 더 큰 병원으로 가 정밀 검사를 받아보라고 하셨다.

그리고 내 손에 쥐어진 소견서를 들고 종합병원으로 가 검사를 받기 위해 병원을 나섰다.

도착한 종합병원에 소견서를 내고 진료받기 위해 접수를 했다. 의사 선생님을 만나기를 기다린 9시간.

5분 만에 끝난 진료와 예약 시간을 잡고 다시 집으로 돌아갈 때까지 신랑과 난 단 한마디도 하지 않았다.

아니 못했다.

처음으로 떨어져 본 첫째가 날 보자마자 웃으면서 우는 모양으로 안겨 왔다.

한참 동안 아이를 다독이다 울컥함이 찾아와 애써 웃으며 아이를 달랬다.

그렇게 아무렇지도 않은 듯 오늘 하루를 마무리했다.

집에는 신랑이 숙직으로 회사에 가고 없다. 잠든 아이를 보자 억수 같은 눈물이 쏟아졌다.

그렇게 낮과 밤이 다른 마음 상태로 정밀 검사의 날이 다가왔다.

남편은 검사실에 들어오지도 못하고 낯선 곳에서 낯선 의사 선생님과의 검사 시간은 참 더디게 흘러갔다.

검사를 받는 동안 계속 눈물만 흘리는 내게 해준 선생님의 말씀

"산모 왜 울어요? 산모 잘못 아닙니다. 마음 잡고 있어 봐요. 아직 결과 안 나왔어요."

그 말씀에 더 엉엉 운 건 모르시나 보다.

남편이 불려 들어오고 검사 결과를 들었다.

장기들은 잘 크고 있고 뼈도 정상이라고 하셨다.

뇌도 정상 크기이며 소뇌도 괜찮아 보인다고 하셨다.

괜찮을 것 같긴 한데... 라며 다시 말씀하셨다.

다만, 피부의 표피는 어떠한 검사를 해도 정상인지 아닌지는 낳아봐야 알 수 있다고 하셨다.

2주 후에 다시 정밀 검사 날을 잡았다.

아무런 말도 없이 우리는 부부는 집으로 돌아왔다.

나는 곧장 화장실로 향했다.

'낳기 싫다고 했더니 아픈 건가? 내 몸 상태가 안 좋아서 아이가 아픈가?

만약 내 아이가 정상이 아니라면? 난 키울 수 있나?'

여러 가지 생각이 꼬리에 꼬리를 물면서 핸드폰으로 여러 가지 경우의 수를 정신없이 검색했다.

정밀 검사 후 더욱 혼란해진 나는 평생을 운 눈물보다 더 많이 소리 내어 울어본 2주가 그렇게 지나갔다.

다시 시작된 정밀 검사.

의사 선생님께서 초음파로 태아를 구석구석 살펴보셨다. 다시 진료실 책상 앞으로 불려 간 우리 부부는 죄지은 사람처럼 고개를 떨구고 있었다.

입을 여신 선생님의 말씀에 다시 또 절망이 드리웠다.

"산모가 너무 불안해해서 다시 검사하고 괜찮으면 그냥 넘어가려고 했는데 태반의 위치가 안 좋아요.

태반 두께도 정상 수치 훨씬 더 많이 두껍습니다. 전치태반은 많이 들어보셨죠?

요즘은 의학이 발달하면서 이건 크게 위험하지 않게 되었어요. 하지만 유착태반이 동반되는 경우는 출혈 위험이 아주 커서 자궁 적출술이 필요할 수도 있습니다.

이런 경우를 대비해 미리 병원에 입원하고 대기를 해야 합니다. 출혈이 언제 이어질지 모르니까요.

아직 조금은 시간적 여유가 있으니 2주만 더 기다려 봅시다. 태아는 저번과 같은 소견입니다."

귀에 이명이 울렸다.

순간 번뜩이는 생각은 아이만 괜찮으면 난 어찌 되든지 상관없지 않을까였다.

그리고, 곧 첫째의 얼굴이 떠올랐다.

널 뛰는 내 마음을...

첫째 아이의 생각으로 다잡고 집으로 돌아왔다.

제목: 나의 딸

새해가 되면 엄마는 점을 보신다. 점만 보시는 게 아니다. 몇 군데의 절에 가서 연등을 달고 기와 위에 이름을 적고 초를 켜시고 기도를 드린다. 그것도 모자라 기부까지 하신다.

그게 난 늘 못마땅했다.
백화점은커녕 시장에 가서도 당신이 쓰실 물건값에 인색을 넘어 옹색할 정도로 쓰시지도 먹으시지도 않으시면서 그 큰돈을 기꺼이 내시는 걸 보면 복장이 터진다.
오죽하면 빌지 말고 그 돈 나 달라고 했을까..
못난 딸의 못된 말!!!!!

엄마의 거친 손 주름진 얼굴.

당신의 젊음과 건강을 돈으로 맞바꾸시어 절에다 갖다 바치시는 것이다. 이유는 단 하나!

정성을 보여야 자식의 안녕을 기원해주고 자식의 업을 전부 당신이 짊어질 수 있으시기 기껍게 구신다.

거기에 더해 점집에 가셔서 점도 보신다.

그리고, 부적을 내 손에 꼭 쥐여 주신다.

마지막으로 식구들 1년 운세와 기도까지가 엄마의 루틴이다.

미신을 믿는 엄마가 아주 못마땅하다.

그런데, 내가 절박해지니 조상신은 물론 하느님, 부처님까지 찾았다. 그것도 모자라 남의 나라 신들까지 동원해 빌고 빌었다.

배 속의 아이가 그저 건강하게만 태어나게 해주십사.

빌고 또 빌었다.

손바닥이 아플 때까지 빌고, 빌고, 빌고, 또 빌고 빌었다.

건강하게 태어나준 첫째가 그저 감사했다.

나의 바람이 하늘에 닿았나!!

태어나서 이렇게까지 간절하게 빌어 본 것이 처음이라 하늘님도 기특하셨나 보다.

검진 날이 되었다. 다시 시작된 정밀 검사.

의사 선생님께서 기뻐하시며 말씀하셨다.

태반은 제 위치를 찾아갔고, .여전히 태반의 두께는 살짝 두껍기는 하지만 괜찮을 것 같다고 하셨다.

하지만, 태아가 거꾸로 있어 제왕절개가 필요할 수도 있지만, 남은 시간 동안 태아가 제자리를 찾는 운동을 열심히 해보자고 하셨다.

그때 들려온 남편의 숨소리가 아직도 생생하다.

그래 당신도 너무너무 무서웠겠지.

난 울기라도 실컷 울어보았지.

너는 울지도 못했잖아!!

한고비가 잘 넘어갔다는 안도감은 잠시 잠깐 스쳐 갔다.

태아 피부의 표피 상태는 낳아봐야 안다는 의사의 소견은 변함이 없었다.

일주일 후 다시 정밀 검사의 예약 날을 잡았다.

일주일 후 다시 검사가 시작되었다.

열심히 운동한 보람이 있었다.

아이는 기특하게도 거꾸로 있던 몸을 잘 뒤집어 주어 제자리를 찾아갔다.

변치 않는 태아 상태의 소견은 우리 부부의 불안감을 제대로 씻어주지 못한 채 출산을 결심하게 되었다.

대학병원에서 원래 다니던 병원으로 돌아왔다.

담당 의사 선생님께서 아이가 크니 유도분만을 권하셨다.

날짜가 잡은 후부터 일사천리로 분만이 시도되었다.

제목: 주는 행복을 깨닫다

"**성장**은 몸이 저절로 자라는 것이고 **성숙**은 나의 노력으로 정신을 깨우쳐 쌓아가는 것이다."

어릴 때는 누구나 나이만 먹으면 저절로 어른이 된다고 생각했던 적이 있다.

응애응애!! 악을 쓰며 금세라도 숨이 넘어 갈듯한 아기 울음소리가 들린다.

정신을 차리지 못하고 소리가 나는 쪽을 돌아보니 파리한 둘째의 얼굴이 보인다.

또 시작되었구나!

달칵.

문 열리는 소리.

잠귀가 밝은 남편이 놀라 안방의 문을 열고 얼굴을 빼꼼 내밀며 "괜찮아?"하고 연신 같은 말을 내뱉고 있다.

귀찮다.

손짓으로 대충 나가라는 말을 하고는 첫째가 깨지 않았나를 확인했다.

그제야 눈에 들어온 둘째를 안아 들고는 젖을 물렸다.

어찌나 울어댔는지 젖을 물고서도 분풀이하듯 꺽 꺽 도리질 치며 쌕쌕거린다.

몇 시지?

시계를 쳐다보니 새벽 3시가 조금 지난 시간이었다.

한 시간 조금 더 잤구나. 한숨을 내쉬어 본다.

그 순간 다시 울며 보채는 둘째의 등을 손바닥으로 가만가만 두드리며 나지막하게 노래를 읊조리지만, 쉬이 그치지도 잠들지도 않는다.

나의 밤은 늘 토막잠과 긴장으로 지새웠고 1년이면 끝이 보이겠지 하며 보낸 시간은 어느새 4년이 지나가고 있었다.

임신 기간 동안 너무나 힘든 시간을 보냈었기에 건강하게 태어나 준 둘째가 그저 한없이 고마웠다.

그 감사함으로 어떤 고난이 와서 잘 이겨내겠다고 마음먹었지만 자고 싶은데 잠이 들 수 없는 고통은 나의 인내심과 정신력을 갈아 먹었고 마지막엔 나의 육체도 좀먹어 갔다.

첫째가 5살이 되던 해 더 이상의 가정 보육은 무리라는 판단이 섰다. 떨어지기 싫어하는 아이를 억지로 어린이집으로 보내버렸다.

처음으로 둘째와 가진 단둘만의 시간은 밤과는 다른 낮이 펼쳐지기 시작했다.

자기만 바라봐 주는 엄마가 있는 시간은 아이에겐 많은 웃음을 주었다. 나 또한 이 아이만 바라볼 수 있는 시간이 서로를 이해하는데 많은 안정감을 주었다.

아이가 원하는 것은 아주 단순했다.

세상 전부인 엄마가 항상 자기가 손 뻗을 곳에 있는 것.

자기 곁에서 자신만 바라봐 주는 것이다.

아이가 둘이라는 이유로 분산될 수밖에 없는 나의 시선이 오직 자신에게만 있음을 아이는 너무나 기뻐해 주었다.

둘만의 시간이 늘어갈수록 아이가 짓는 표정이 나에게 무엇을 말하는지 왜 그런 눈빛 인지 아이의 마음을 점점 알게 되었다.

또한, 세상을 다 가진 마음으로 엄마를 바라봐 주는 것 그게 둘째 아이의 마음이었다는 것을 깨닫게 되었다.

아이와 시선을 맞추고 너의 이야기를 듣고 같이 맞장구쳐 주는 시간, 책을 함께 읽고 장난을 치고 이야기를 나누고

아파트의 놀이터에서 신나게 뛰어놀고, 공원을 산책도 하고, 편의점도 가고, 일상을 온전히 누리는 우리 둘.

카페에서 커피가 나오기 기다리는 짧은 시간조차 즐거워지는 아이와의 소소한 행복감이 차곡차곡 예쁜 연둣빛으로 쌓여 갔다.

"엄마가 뽀뽀해주면 기쁨이 찾아와!
기쁨이 찾아온다는 건 사랑을 준다는 거야~"

4살이던 네가 어느 날 내 볼에 쪽 소리를 내며 해준 이야기가 내 마음의 모든 벽을 허물어냈다.

나 또한 너에게 사랑을 받는구나!

그것도 이렇게나 따듯하게.

제목: 다시

이사를 했다.

하필 시기가 나빴다.

코로나와 겹치면서 상당히 애를 먹었었다. 구구절절 나열하기가 입 아플 만큼 딱 그만큼의 고생이었다.

새로 이사 온 이곳에서 한없이 걱정이 쌓여 있는 이는 나뿐이었나 보다.

정신없이 흘러가는 일상 안에서 나의 불안과는 전혀 상관없이 아이들과 신랑은 각자의 생활에 잘 적응해 갔다.

그게 못내 서운한 나였다.

어느 날 혼자 남은 집에서 거울 속의 나를 찬찬히 보았다.

흔한 날의 나라면 아이들이 아침을 먹고 난 뒤의 설거지와 집 안 청소, 빨래를 돌리고 급하게 밥을 먹고 커피를 한 잔 들이켜고 나서는 땀 범벅의 몸을 씻었을 것이다.

그리고, 잠시 쉬었다 아이들을 데리러 가야지 하고 몸을
움직였을 텐데.

갑자기 내 얼굴이 왜 보고 싶어진 걸까?
한참을 그렇게 보고 있었다.

눈물이 났다.

핸드폰 알림 문자가 뜬다. 아이들의 도서관 수업 일정이다.

갑자기 궁금해졌다. 어른들을 위한 수업도 있나?.
있네. 딱 하나.
책 읽는 엄마 학교!
책을 읽어야 하나? 하는 걱정과 아이 낳고 여태껏
읽어본 책이라고는 아이들 그림책이 전부인 나.

그간 나를 위한 독서는 10년여간 전혀 없었다.
책을 진짜 한쪽도 안 읽고 살았구나.
새삼 깨닫는다.
10시에서 12시까지 수업이다. 시간이 좋다!
그렇게 즉흥적으로 뭔가라도 해보자는 마음과 단순한 호기심으로 강의를 신청했다.

나는 늘 아이들에게 **집 가까운 곳에 도서관이 있다**는 것은 **"축복"**이라고 이야기한다.
도서관만큼 아이들과 편안하게 즐길 수 있는 곳은 몇 없다.
돈 내고 카페라도 가면 된다고 하는 속 편한 이야기는 당신이 엄마가 아니라서 할 수 있는 이야기다.
라떼는..
'맘충'이라는 말이 뉴스에서도 대단히 들끓었던 시대였다.
그리고 유모차에 둘째를 태우고 첫째의 손을 잡고 치즈케이크와 커피를 시켜 먹었던 카페에서 직접 들었던 말이기도 했었다.

예전에 살던 곳은 아파트에서 20분 정도 걸어 가면 도서관이 있었다. 도서관 가는 길에는 작은 시장도 있었다.
나에게 있어 도서관은 그저 책을 보고 빌리는 곳이 아닌 아이들과 수업도 듣고 나들이 겸 남 눈치 보지 않고 마음 편히 갈 수 있는 정말 고마웠던 곳이었다.

더불어 어린이 도서관이라 시설이 정말 좋았다.

화장실도 아이들 맞춤이었고 아이들이 종알종알해도 되는 내가 아이들에게 소리 내어 책을 읽어 줄 수 있어서 놀이터 삼아 자주 갔었던 곳이다.

새로 이사 온 곳에도 작은 도서관이 있다. 정말 작다.

시설 차이에서 오는 마음의 거리는 생각보다 컸다.

그리고 조금은 음산한 분위기의 4층 건물도 한몫을 거들었다.

하지만 그건 나만의 생각이었고 아이들은 아담한 이곳을 퍽 마음에 들어 했다.

첫째의 학교 숙제 중 도서관에서 책을 읽는 모습을 사진으로 찍어 지정사이트에 올리는 게 있었는데 '내가 제일 좋아하는 도서관'이라는 짤막한 글을 첨부할 정도로 집에서 5분 거리의 작은 도서관을 아이들은 애정했다.

늘 아이들을 위해 가던 동네 도서관을 처음으로 나만을 위해 간다고 하니 긴장이 되었다.

결혼 이후 무언가 나만을 위한 시간을 내어 본 적이 없어서 더욱 떨려왔다. 그리고 모르는 사람들과 한 공간에 있는 것이 거북한 점도 있어서 모자를 눌러쓰고 마스크로 완전 무장을 하고서 긴장된 첫 수업에 임했다.

재미있다.

재미가 있었다.

2시간이 정말 압도적으로 빨리 흘러갔다.

강의를 듣는다는 것이 즐거운 일이라는걸 오랜만에 느껴보았다. 강사님이 하신 말씀 중에 하루 10분이라도 책을 읽어보란 말씀이 제일 기억에 남았다.

내 책을 읽어 본지가 얼마나 되었지?

아이들을 위한 책이 아니라 내가 재미있어 읽은 책은 언제가 마지막이었지?

전혀 기억에 없다.

도서관에서 나를 위한 책을 빌리고 집으로 돌아왔다.

제목: 까막눈

'**집중**'이라는 녀석은 어찌해야 나타나는 걸까?

아이들과 함께 책 읽기를 시도했다. 누구나 꿈꾸는 이상적인 모습. 하지만 그런 모습은 절대로 하루아침에 되는 것이 아니라는 걸 깨닫게 되는 데는 얼마간의 시간도 필요치 않았다.

아이들에게는 몇 시간씩 열심히 책을 읽어 주는 엄마였지만, 정작 아이들은 내 책을 읽고 있는 엄마 모습은 아주 낯설기만 할 뿐이었다.

첫째는 내가 읽는 책이 궁금한지 호기심 왕왕한 얼굴로 책을 빼앗고는 휘리릭 넘겨 본다.

둘째는 엄마 등에 올라타 자기랑 놀자고 졸라 댄다.
당최 책을 읽을 수가 없다.

아이들의 재우고 나서야 빌린 책을 겨우 보게 되었다.
제목을 찬찬히 보고 작가의 말은 가볍게 뛰어넘었다.
첫 줄을 읽고 다음 줄을 읽으려고 하는데
어랏? 뭐지?
읽히지 않는다.
몇 번을 다시 시도하다가 졸음에 겨워하는 나를 이기지 못하고 꾸무룩 잠들어 버렸다.

다음날 아이들과 신랑을 내보내고 혼자 남은 집에서 책을 집어 들었다.
첫 줄을 읽었다.
다음 줄로 넘어가야 하는데 넘어가지질 않는다.
이상했다. 자꾸 다시 읽어보지만 도통 다음 줄로 넘어가지 않아 끙끙거렸다.
카페인이 필요한 모양이다. 커피를 진하게 타서 마신 뒤 다시 책을 읽어본다.
안된다. 안 읽힌다. 왜?
답답한 마음에 아이들의 그림책을 눈으로 읽어보았다.
읽을 수가 없다.

뭔가 싸~한 느낌에 식은땀이 났다.

소리 내어 읽어본다. 이건 된다.

내가 빌린 책을 다시 펼쳐서 소리 내어 읽어보았다.

어색하고 이상한 위화감이 들어 다시 책을 덮어버렸다.

다시 시작된 여느 때와 다름없는 나의 아침.

무언가 바스러지는 느낌이 들었지만 모르는 척 일상을 반복했다. 그리고 그렇게 나의 책은 방치되어 갔다.

일주일이 흘러 책 읽는 엄마 학교 수업이 시작되었다.

수업이 끝나고 없는 용기 한껏 끌어내어 강사님께 책 읽기가 되지 않는다고 말씀드렸다.

아이들의 그림책은 매일 같이 읽어 주는데 내 책을 읽으려니 읽히지 않아 당황스럽다 했다.

가만히 내 이야기를 들어주신 강사님께서는 하루 중 책 읽기는 10분을 넘기지 말고 하루 3번 정해진 시간에 읽기를 시도해보자고 하셨다.

소리 내어 읽되 가벼운 주제를 택하라고 하셨다.

그리고 책을 읽기 전 거울을 보고 내가 세상에서 제일 소중한 존재라는 것을 자신에게 꼭 이야기하라 하셨다.

말이여 방구여..

무슨 소리지 싶었다.

(아마 내 표정으로 나의 황당함을 아셨을 것이다)

작심삼일을 일곱 번까지 해보자 하시는 말씀.

어깨를 두드려 주시는 강사님의 격려가 잘하고 있다는 칭찬이 내 코끝을 시큰하게 만들었다.

제목: 칭찬은 누구나 얼쑤

이때부터 나의 책 읽기는 무한 반복의 늪으로 빠져들었다. 아이들에게는 보여지는건 괜찮은데, 남편에게는 내 모습이 들키는 기분인지라 신랑이 없는 시간만 골라 책 읽기 연습에 돌입했다.

물론 선생님의 말씀대로 거울을 보고 나에게 칭찬하는 한마디는 처음부터 쉽지 않았다.

어색함에 몸 둘 바 모르는 나의 얼굴과 몸짓이 적나라하게 거울 통해 실시간으로 방송되었다.

용기란 하기 싫을 것을 감내하며 해내는 것이라는 것을 몸소 체험 중이었다.

부끄러움과 황당함을 무릅쓴 보람은 3주가 지나자 눈에 띄게 보이기 시작했다.

다양한 방법으로 스스로 칭찬하는 내가 이제는 어색하지도 전혀 낯설지도 않게 된 것이다.

책 읽기는 여전히 제자리걸음이었지만 안개가 낀 시야가 조금씩 또렷해지듯 그저 읽기에 급급했던 나의 마음이 차분해짐을 느꼈다.

어느 날 첫째 아이가 나를 안고는 "엄마 오늘 밥이 너무 맛있어요. 칭찬해요"

곧이어 둘째가 내 다리에 매달리고는 "책 읽어 줘서 고마워요. 엄마가 자주 웃으니까 좋아"

이러고는 또 "잘 먹은 나를 칭찬해 쓰담쓰담"

"책 읽어 주는 것 잘 듣는 나를 칭찬해"

"오늘 아빠가 재미있게 놀아줬으니까 궁디팡팡"

5분이 넘게 가족들의 칭찬 릴레이가 펼쳐졌다.

나에게도 너에게도 우리 가족 모두가 칭찬으로 한참을 하하 호호 웃음으로 저녁 시간을 마무리하게 되었다.

즐거웠다.

무얼 크게 한 것도 아닌데 그저 작은 칭찬 말이 오고 간 것만으로 행복감이 충족되는 날이었다.

제목: 아장아장 두 번째 첫발 떼기

계절이 두 번이나 바뀌었다.

동네의 작은 도서관은 아이들만을 위한 것이 아닌 이제 우리 가족을 위한 공간으로 바뀌었다.

수요일마다 엄마가 수업을 가는 것은 당연한 일과가 되었고 아빠는 그런 엄마를 위해 회사 휴가를 써가며 내 시간을 지켜주었다.

제일 큰 성과는 내 책 읽기가 더디지만 확실한 발걸음을 보여주고 있다는 거다.

읽어내야 한다는 부담감이 사라지니 하루 10분 책 읽기는 착착 잘 진행되어 갔다.

책갈피는 책 정중앙에 꽂혀 있었고, 많은 양을 한 번에 읽을 수는 없었지만 시간이 되는 틈틈이 짧은 글 정도는 무난히 읽을 수 있게 되었다.

나에게 첫 과제가 떨어졌다.

한국 근대사의 인물에 대해 이야기해보자는 것이었다.

내가 발표하게 된 인물은 '안중근'이다.

도서관에서 안중근 의사에 관한 책을 빌렸는데 두께가 상당했다. 갑자기 울렁거림이 나타났고 이걸 언제 다 읽고 정리 하지란 부담감이 느껴졌다.

내게 남은 시간은 6일.

그동안 전부 읽을 수 있는 자신이 확 꺾여 버렸다.

그 부담감은 즉시 효과를 발휘했다.

책 읽기가 도중에 멈춰 버린 것이다.

갑자기 아이들이 바빠지고 남편의 회사 일은 늘어났다.

며칠을 정신없이 보낸 나는 회피하고 있는 책에서 눈 돌리기를 그만두자고 마음먹었다.

그날 저녁,

저학년 초등학생용 위인전을 손에 들고 나는 아이들에게 안중근 의사에 관한 책을 읽어 주었다. 그리고 아이들이 없을 때 다시 한번 반복해서 소리를 내어 읽었다.

그다음 날은 고학년 초등학생용 위인전을 읽어 주었다.

아이들은 이틀 연속 안중근 의사에 관한 책을 읽는다고

성화였지만 꿋꿋하게 읽어 주었다.

내가 빌린 두꺼운 안중근 의사의 책은 끝까지 읽지 못했지만, 아이들을 재우고 발표 준비를 한 새벽 시간은 쏜살같이 지나갔다.

수업 시간 다른 선생님들의 발표가 시작되었다.

다행히 앉아서 각자가 준비한 내용을 발표하였다.

나의 발표가 끝이 나자 강사님께서 책은 어떤 식으로 읽었고 준비는 어떻게 했는지 물어보셨다.

있는 그대로 말씀드리니 뜻밖의 칭찬이 쏟아졌다.

얼떨떨해진 난 아주 많이 기뻤는지 기분 좋은 두근거림이 하루 종일 가시지 않았다.

이 일을 계기로 미약한 자신감이 생기기 시작했다.

수업이 마치고 집으로 돌아오는 길에 '영웅'이라는 뮤지컬이 한다는 광고가 휘날리고 있었다.

안중근 의사의 이야기를 다룬 뮤지컬이었다.

무슨 용기가 샘 솟았는지 신랑에게 뮤지컬 보러 혼자 가고 싶다고 말했다.

잠시 생각해보았다.

연애 시절 신랑에게 잘 보이고 싶어서 영화광인 남편을 따라 좋아하지도 않는 영화관을 뻔질나게 다녔었다.

정작 내가 좋아하는 뮤지컬은 한 번도 보러 간 적은 없었다. 소극장 연극 데이트는 종종 했었지만 말이다.

(신랑은 회사에서 문화 체험 동호회를 하고 있는데 일 년에 몇 번은 고정적으로 대형 뮤지컬을 관람하곤 했었다.)

남들이 보기엔 별것 아닌 일일 수도 있지만, 나에겐 오롯이 혼자서 무엇을 관람하러 가는 것은 결혼 후 처음 있는 일이었다. 그리고 아이들을 두고 간다는 불안감이 내심 걱정을 부추겼다. 하지만 나와는 달리 신랑은 흔쾌히 바로 예약을 잡아 주었다.

바로 그 주 토요일 저녁 시간은 10여 년 만에 갖는 내 시간이 되었다.

이 일을 계기로 나에게 필요한 것이 무엇인지 명확해졌다.

그것은 **나만의 시간을 갖는 '균형'**이었다.

제목: 출발선

책 읽는 엄마 학교를 졸업했다.

이건 나만의 졸업이다. 1년을 성실히 수업에 참여했다.

운이 좋게도 자격증 2개도 수업료 한 푼도 들이지 않고 받을 수 있었다.

다음 분기 수업도 들어도 된다는 강사님의 말씀도 있었지만 나에게 다시 책을 읽을 수 있게 해준 좋은 수업을 다른 사람들에게 꼭 듣게 하고 싶어 조용히 클릭을 멈췄다.

대신 수업 홍보를 열심히, 주변에 알리고 다녔다.

강사님의 특강이 다른 도서관에서 2주에 걸쳐 이틀 동안 열린다는 소식을 접했다.

그 수업을 듣기 위해서는 집에서 10분 정도 걸어서 40분 넘게 버스를 타고 15분 정도 더 걸어가면 도착하는 먼 곳이었다. 그러나 망설임 없이 강의를 듣기 위해 달려갔다.

1년 동안 내가 들었던 강의를 2시간 30분씩 이틀 동안 압축해 놓은 알짜배기 수업이었다.

복습도 되고 열정 가득한 강사님의 모습을 보니 뭔가 가슴이 먹먹해졌다.

첫 번째 수업이 끝이 나고 나를 본 강사님께서 PPT를 준비해 다음 강의 시간에 발표해 달라고 하셨다.

마지막 분기 때 질문지 만들어 둔 것 있느냐는 말씀에 있다고 가볍게 이야기 오고 갔었는데 지금을 위한 말씀이었던 거다.

자격증 심사를 위해 20년 넘게 만에 여러 사람 앞에 서게 된 날 약국에 들러 청심환을 사 먹고 발표했었는데, 강사님 머릿속에서 그 사실은 깡그리 사라지셨나 보다.

일주일 동안 발표 준비를 하고 길을 나서는데 떨림 때문인지 아침 날씨가 유독 차가웠다.

수업이 시작되었고 열띤 강의가 계속되었다.

한 시간 남짓이 남은 시간에 강사님이 안면이 있는 다른 선생님의 이름과 나의 이름을 부르셨다.

발표자가 두 명이라는 사실이 동공에 지진이 나게 했다. 나란히 불려 나간 선생님도 꽤 당황하셨는지 입을 뻐끔거리고 있었다.

호명된 순서대로 발표가 시작되었다.

조곤조곤한 말솜씨로 차분한 분위기를 자아내는 선생님 발표는 고민의 흔적과 노력이 엿보이는 질문들로 가득 차 있었다.

기가 팍 꺾여 버린 나는 귀에서 내 심장이 울리는 소리가 들릴 정도로 의기소침해졌다.

USB에 담긴 자료를 강사님께 넘길 때 긴장 상태의 나에게 해주신 강사님의 한마디.

'보내준 자료 잘 봤어요. 준비한 만큼 해봅시다'

30명이 넘는 수강생이 날 바라보고 있고, 그 와중에 마이크를 잡고 발표해 본 경험이 없던 난 어색하기 그지없는 손 모양을 한 채로 30분의 시간을 채우기 위해 애썼다.

그렇게 강의 시간은 다 지나갔고 고맙다는 강사님의 한마디가 기뻤던 난 집으로 돌아가기 도서관을 나섰다.

그때, 수업을 같이 들었던 두 분이 내게 와 말을 거셨다.

강의 너무 잘 들었다. 혹 다른 곳에서 수업 맡고 있는 거 있느냐. 있으면 어떻게 들을 수 있는지 궁금하다는 등등 말씀을 주시고 있는데 또 다른 세분이 오셔서 내게 여러 가지 질문을 퍼부으시며 날 칭찬하셨다.

뜻밖의 칭찬들과 잘 해냈다는 뿌듯함이 여러 사람 앞에서 발표하는 걸 두려워하는 나의 주저함을 시원하게 날려 버렸다.

여담인데 나에게 질문 주셨던 다섯 분 중에 두 분은 사시는 곳과 먼 곳임에도 불구하고 우리 동네의 작은 도서관에 수업을 들으러 오셨다.

게다가 새로 오신 사서 선생님께서도 특강 발표날 그곳에 계셨었는데 날 먼저 알아보시고 아주 반가워해 주셨다.

지금은 도서관에 갈 때마다 함박웃음을 주고받는 사이가 되었다. 이런 작은 일들이 켜켜이 쌓여 책 읽기가 다시 좋아지고 즐거워졌다.

올해 들어 제일 즐거운 일이 생겼다.

작은 도서관 독서회가 처음으로 생긴 것이다.

지금의 난 독서회 1기로 들어가 한 달에 한 권 읽기를 하고 있다.

제목: 알아준다는 것

코로나 종식이 선언되었다.

그동안 미루었던 모임의 날이 잡혔고, 3년 가까이 만에 반가운 얼굴들을 다시 보게 되었다.

아이들은 몰라보게 쑥쑥 커져 있었다.

여기 모임이 재미난 것은 아이들이 전부 9명이 있는데, 터울이 각 한 살씩으로 동갑내기가 하나도 없다는 거다.

일곱 살, 여덟 살, 아홉 살, 열 살, 열한 살, 열두 살, 열세 살, 열네 살, 열다섯 살!!!

나란히 나란히도 이렇게 짜맞추기도 어려울 듯하다.

아이들은 참 순수하다.

오랜만이라는 어색함에 쭈뼛쭈뼛하다 가도 한순간 우르르 몰려다니며 친구가 되는 걸 보면 괜히 마음이 흐뭇하다.

밤이 점점 내려오면서 술이 한잔 두잔 들어간다.

아빠들의 수다가 만만치 않은 모임이라 엄마들은 조용히 술잔을 기울인다.

매번 등장하는 똑같은 과거 회상 레퍼토리가 지겨울 법도 한데 지치지 않고 이어간다. 오랜만의 수선스러움이 반갑다.

그간의 일상을 공유하며 서로의 이야기를 나눠본다.

모임에서 가장 똑 부러지고 공부를 제일 잘하는 아이의 아빠가 슬며시 말을 꺼냈다.

"우리 아이는 다 잘하는데 도서관에 가지를 않네. 책도 볼 겸 가면 여름에 딱 좋은데."

의외의 사실에 내심 놀랐다. 공부를 잘하면 으레 도서관을 좋아한다고 생각하고 있었기 때문이다.

신랑이 한마디 꺼낸다.

"엄마 아빠가 도서관 좋아하면 아이도 좋아하더라고.

우리 집은 아내가 도서관 가는 걸 좋아해. 집에서 가깝기도 하고 자주 같이 가서인지 우리 애들은 도서관에 놀러 가자고 하면 좋아해"

남편의 말에 주변 사람들의 이목이 나에게 쏠리고 여러 질문이 쏟아졌다.

에필로그

탁 탁 탁

핸드폰이 일상을 차지하고 덩치 큰 컴퓨터는 뒷전이 되어 버린 요즘 오랜만의 두드리는 키보드 소리가 새롭다.

나는 지금 글을 쓰고 있다.

남편이 방으로 들어온다.

무심히 '툭'하고 책상 위에 책을 놓고 간다.

벌써 2년째 매달 한 권씩 새 책 사주기는 이번 달에도 이어진다.

내 책 읽기를 시작하면서 신랑이 해주는 배달선물에 엄청난 부자가 된 듯한 기분이다.

집안 책장 한 켠에는 내 책들이 잘 정리되어 있다.

얼마 전, 중고 플랫폼에서 인문학 고전을 세트로 들였다.

이제 막 4학년이 된 아이를 핑계 삼아서.

나도 읽어봐야 아이와 책에 관한 논 할 것 아니겠는가!

알면서도 기꺼이 발품을 팔아주는 든든한 내 편!

종종 가는 서점 데이트도 나의 책 읽기가 가능하면서 아이들만을 위함이 아닌 우리 가족을 위한 시간으로 바뀌었다.

아이가 조른다.

'엄마 시내 나가자~~!! 책 사러 놀러 가자'

즐겁다.

나의 올해 목표 중 하나는 일기 쓰기다.

무언가를 기록해 나간다는 건 시간을 모아두는 느낌이라 어릴 적에는 매일 하던 습관이었다.

끄적이는 재미를 잊어버리고 산 세월이 길어서인지 난항을 겪고 있었는데 좋은 연이 닿아 이렇게 글을 적고 있는 내 모습이 대견하다.

올해는 목표 달성을 이루어낼 것 같다.

귀한 선물인 "**기회**"를 주신 도서관 관계자분들과 지도해 주신 작가님께 감사드린다.

그리고 기꺼이 나를 바라보는 과정을 함께 해준

'**덕, 단, 람**'에게 내 마음을 전한다.